El señor Popótamo es un manitas

COLECCIÓN PICNIC

Descubre los 20 primeros títulos de la Colección Picnic en
http://picnic.almadrabaLIJ.com

El señor Popótamo es un manitas

GÉRARD MONCOMBLE
ILUSTRACIONES DE PAWEL PAWLAK

TRADUCCIÓN DE PAU JOAN HERNÀNDEZ

Almadraba
INFANTIL JUVENIL

Dirección editorial: Dolors Rius
Coordinación del área y edición: Teresa Serra

Corrección lingüística: Violant Juan
Diseño gráfico: BUM (Blasi, Urgell, Morales)
Maquetación: Carmen Guiral

Primera edición: mayo de 2011
ISBN: 978-84-92702-76-3
Depósito legal: B-18651-2011
Impresión: Llob 3
Printed in Spain

Título original: *Monsieur Popotame fait du bricolage*

© Éditions Milan, 2004, por la obra original
© Pau Joan Hernàndez, por la traducción
© Hermes Editora General, S. A. U. – Almadraba Infantil Juvenil, 2011, por esta edición

ALMADRABA EDITORIAL
Quitapesares, 31, local 16 Polígono Villapark
28670 Villaviciosa de Odón (Madrid)
www.almadrabaeditorial.com

*Para Couderc
y Wilczyce,
nuestras
dos obras
mágicas*

G. M. y P. P.

6

Capítulo 1

El señor Popótamo está harto
de vivir en un piso diminuto.
¡Demasiado estrecho,
demasiado oscuro,
demasiado viejo!
—¡Es peor que una jaula!
¡Me voy!
Decide construir una
casa de verdad, con
un tejado como
si fuese un sombrero.

7

Primero, hay que hacer
agujeros.
Al señor Popótamo
le encanta usar el pico
y la pala.
Los vecinos están admirados.
¡Qué agujeros tan bien
hechos! ¡Este Popótamo
es un manitas!

8

Odila Cocó grita:
–¡Se me ha
estropeado
la tele, Popótamo!
¡Voy a perderme
el serial!

El señor Popótamo deja el pico
y la pala, y toquetea
los botones
y la antena.

¡El televisor
está reparado!

Necesita arena, piedras
y cemento para el hormigón.
El señor Popótamo
empuja y empuja
la carretilla.
¡Qué forzudo!

Pero Gisela Gacela
no tiene luz.
El señor Popótamo
deja la carretilla
y cambia
la bombilla.
¡La luz
se enciende!

Ahora, los ladrillos.
El señor Popótamo
los amontona
formando
una pirámide.
¡Todo un número
de circo!

Pero Charly Chacal
tiene un problema:
no le funciona
la estufa de leña.

El señor Popótamo
se olvida de los
ladrillos, deshollina
la chimenea...
¡y la estufa vuelve
a funcionar!

Zoé Cebú le llama:

–¡Deprisa, Popótamo!
¡Mi bañera rebosa!

¿Y quién deja las tejas y las vigas?
El señor Popótamo, que desatasca
la cañería. El agua vuelve a correr.

¡Pero eso no es todo!
Bill Boa necesita
que le ayude
con la leña.

Y el doctor Rino
quiere que
le arregle
el coche.

¡Basta! ¡No, no y no!
El señor Popótamo ya está
harto de hacer reparaciones
para los vecinos.
—Dejadme tranquilo
–les suplica–. Tengo que
construir mi casa antes
de que llegue el invierno.

Capítulo 2

Por fin, el señor Popótamo
se pone manos a la obra.
La hormigonera ronca
como un helicóptero
y él va echando
mortero a
los ladrillos.
Las paredes
van subiendo
y subiendo...

¡Y sierra las vigas! ¡Y las encaja
y las clava! La sierra canta,
el martillo tamborilea.
El señor Popótamo hace sonar
sus instrumentos noche y día.

¡Un edredón de tejas rojas,
una chimenea para el humo
de la estufa de leña!
La casa no tendrá frío.
Deprisa, señor Popótamo,
¡se acerca el invierno!

¡El suelo, el techo, el balcón! ¡Deprisa!
¡Tiene que empapelar y pintar!
Deprisa, deprisa, el señor Popótamo
tiene prisa. ¡Mucha prisa!

¡Hurra!
¡Ya ha
terminado!
¡El señor
Popótamo
ya tiene
su casa!

Pero ¿no se ha olvidado de algo...,
de algo muuuy
importante?

Capítulo 3

¡La puerta!
¡Por todas las carretillas!
¡El señor Popótamo
ha olvidado
hacer la puerta!
¡Está encerrado
en su casa!
Sube corriendo
al balcón
a pedir socorro.

Pero ¿quién le oye?
¡Nadie!
Odila Cocó
mira el serial.

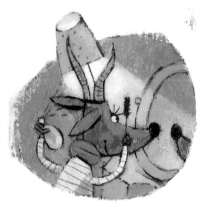

Gisela Gacela
se arregla ante
el espejo.

Charly Chacal
duerme la siesta
bien calentito.

Y Zoé Cebú
tiene las orejas
llenas de agua.

¡El señor Popótamo está atrapado!

—¡Qué tonto
soy!
—se lamenta.

De repente, un gran ruido hace
temblar la casa.

En el salón hay un coche abollado,
que echa humo y silba.
—¡Me han fallado los frenos!
—dice suspirando el doctor Rino—.
¿Está usted muy enfadado?

El señor Popótamo mira el gran
agujero de la pared.
—¡Claro que no! Esto es justo lo que
necesitaba. Muchas gracias, doctor.

Aún le quedan ladrillos, cemento y madera. Material suficiente para construir una puerta de entrada.

—¡Nosotros le ayudaremos! —le dice Odila Cocó.

—¡Por supuesto! —exclama Bill Boa—.
Así, cuando necesitemos
un manitas, tendremos una puerta
a la que llamar.

Palabras difíciles

Aquí encontrarás las definiciones
de las palabras marcadas en gris.

Cemento (p. 10): especie de polvo para
preparar hormigón y mortero.

Hormigón (p. 10): pasta hecha de arena,
piedrecitas y cemento que, al secarse,
se pone muy dura.

*Necesita arena, piedras y cemento para
el hormigón.*

Deshollinar (p. 11): limpiar el hollín, la sustancia negra y grasienta que el humo deja en las chimeneas.

El señor Popótamo deshollina la chimenea.

Viga (p. 12): cada uno de los maderos o hierros largos que se ponen para sostener el techo de una casa.

¿Y quién deja las tejas y las vigas?

Hormigonera (p. 15): máquina para preparar hormigón o mortero.

La hormigonera ronca como un helicóptero.

Mortero (p. 15): mezcla de cemento y arena.

Él va echando mortero a los ladrillos.